COLE...
CLÁSICOS

COLECCIONES

Belleza
Negocios
Superación personal
Salud
Familia
Literatura infantil
Literatura juvenil
Ciencia para niños
Con los pelos de punta
Pequeños valientes
¡Que la fuerza te acompañe!
Juegos y acertijos
Manualidades
Cultural
Medicina alternativa
Clásicos para niños
Computación
Didáctica
New Age
Esoterismo
Historia para niños
Humorismo
Interés general
Compendios de bolsillo
Cocina
Inspiracional
Ajedrez
Pokémon
B. Traven
Disney pasatiempos
Mad Science
Abracadabra
Biografías para niños
Clásicos juveniles

Mary W. Shelley

Frankenstein

SELECTOR
actualidad editorial

SELECTOR
actualidad editorial
Doctor Erazo 120 Colonia Doctores México 06720, D.F.
Tel. 55 88 72 72 Fax. 57 61 57 16

FRANKENSTEIN
Autor: *Mary W. Shelley*
Adaptación del original en inglés: María del Socorro Alcalá Iberri
Ilustración de interiores: Humberto Hernández Blancas
Diseño de portada: Rosa Mónica Jácome Moreno y Sergio
Edmundo Osorio Sánchez

Copyright © 2003, Selector S.A. de C.V.
Derechos de edición reservados para el mundo

ISBN-13:978-970-643-612-2
ISBN-10:970-643-612-X

Dècima Octava reimpresiòn. Agosto 2012.

Sistema de clasificación Melvil Dewey

822
S126
2003

W. Shelley, Mary; 1797-1851.
Frankenstein/ Mary W. Shelley./Adapt. María del
Socorro Alcalá Iberri,
Cd. De México, México: Selector, 2003.
80 p.

ISBN: 970-643-612-X

1. Literatura. 2. Narrativa. 3. Novela.

Características tipográficas aseguradas conforme a la ley.
Prohibida la reproducción parcial o total de la obra
sin autorización de los editores.
Impreso y encuadernado en México.
Printed and bound in México

Contenido

Contenido

Prólogo

El libro que tienes en tus manos es uno de los relatos más famosos de todos los tiempos. Fue escrito por Mary W. Shelley, de origen inglés, quien nació en el año de 1797.

En el verano de 1816, la escritora se reunió con un grupo de amigos en una casa situada en Suiza para pasar las vacaciones. Pero como el clima se había descompuesto por un temporal que trajo con él muchos días lluviosos, no podían salir a pasear, por lo que se reunían alrededor de la chimenea a contar cuentos de terror inventados por ellos. Y así es como nace en la imaginación de Mary la historia de *Frankenstein*, donde se mezclan el amor y el odio, el bien y el mal en una obra tan interesante como conmovedora.

La familia de
Víctor Frankenstein

Los padres de Víctor Frankenstein eran de lo mejor y se amaban mucho. Aparte de él, tuvieron dos hijos más, Guillermo y Justina.

Como la mamá de Víctor era muy buena, adoptó como una hija más a una huérfana que se llamaba Isabel.

La familia vivía tranquila y feliz hasta el día en que Isabel cayó en cama, afectada por una rara enfermedad que le producía fiebres y que puso en grave peligro su vida.

Su madre adoptiva estaba tan angustiada que cuidaba de la enferma día y noche sin comer ni dormir. Isabel se recuperó de su mal, pero su madre adoptiva murió.

Toda la familia lloró la muerte de la buena mujer que se había contagiado de la enfermedad de Isabel, pero para Víctor la pérdida de su madre era más de lo que su corazón podía soportar.

"Las personas buenas no deben morir nunca", pensaba Víctor y le dijo a su padre:

—Seré médico, el mejor de los médicos, y encontraré la forma de vencer a la muerte. Nunca morirá uno de mis pacientes.

El padre de Víctor movió tristemente la cabeza, pero no dijo nada pues pensaba que las palabras de su hijo eran producto del dolor que sentía.

Al pasar de los años, la decisión de Víctor cobraba cada vez más fuerza. Ya no era un niño, sino un joven lleno de energía que a toda costa deseaba ser médico.

Su padre, convencido de que nada lo haría cambiar de parecer, decidió enviarlo a una universidad en Inglaterra para que cumpliera sus sueños.

Toda la familia se entristeció, al igual que Enrique, su mejor y único amigo, porque Inglaterra estaba muy lejos de Suiza y no verían a Víctor en mucho tiempo, pero él prometió escribirles a menudo.

La más triste era Isabel, quien se había enamorado de Víctor.

Obsesión

Víctor era muy estudioso, pero no se conformaba con lo que le enseñaban sus profesores, también investigaba por su cuenta. Y un día que fue a la biblioteca encontró un libro, cuyo autor aseguraba que era posible revivir a los muertos.

Emocionado, corrió a ver a uno de sus profesores, quien también estaba interesado en el tema y le mostró el libro.

—Vea, profesor—dijo Víctor animado—. ¡Según el autor de esta obra es posible crear vida!

—Ciertamente—contestó el profesor, y le recomendó otros libros sobre ese tema, creyendo que las intenciones de Víctor no iban más allá de la lectura.

Años después, Víctor se graduó con excelentes calificaciones. Ni su padre ni sus hermanos asistieron a este gran acontecimiento porque él los dejó en el olvido en Suiza.

Contrariamente a lo que Víctor prometió, nunca le escribió a su familia ni a su amigo Enrique mientras estaba estudiando. En el escritorio de su habitación en la universidad se acumulaban cientos de cartas de sus seres queridos, mismas que nunca fueron contestadas por el muchacho. A Víctor lo único que lo obsesionaba era el sueño de revivir a los muertos e impedir que los vivos mueran.

Después de graduarse, Víctor se estableció en una casa en cuyo sótano instaló un laboratorio con aparatos y sustancias de todas clases. Durante el día mezclaba pociones tratando de producir sangre artificial y por las noches se iba al cementerio a desenterrar huesos.

Víctor dormía poco y comía solamente lo necesario para vivir. Adelgazó tanto que su ropa le quedaba muy holgada, pero no tenía otro objetivo que crear vida, a como diera lugar.

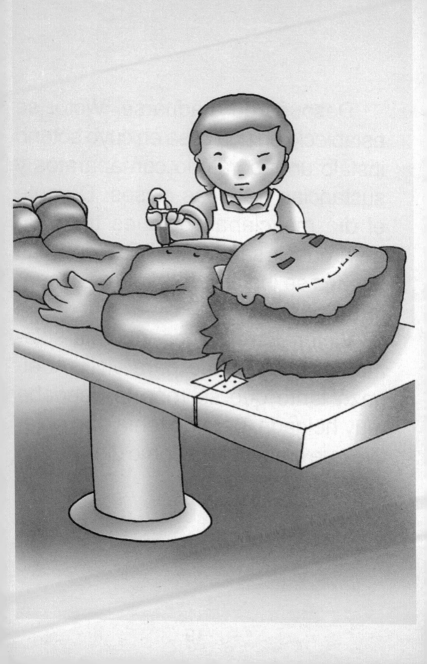

El experimento

Víctor armó un ser con brazos, piernas, tronco y cabeza de los cuerpos que desenterró. Era un monstruo de largos miembros con una gran cabeza plana, y con abundante cabello.

El rostro de este ser era horrible y su piel tenía un color entre amarillo y verde; resultaba difícil mirarlo sin sentir un gran temor.

Aunque el ser estaba completamente formado carecía de vida. Por más que Víctor le inyectara la sangre que había fabricado en su laboratorio no conseguía que se moviera.

Por esta razón, Víctor creía haber fracasado en su experimento.

Una noche tormentosa, cuando Víctor se encontraba leyendo en su laboratorio y los rayos caían despiadadamente sobre la tierra produciendo gran estrépito, le surgió una nueva idea.

Sin perder tiempo, colocó al horrible ser que había creado encima de la mesa del laboratorio y la arrastró hacia fuera, mientras la tormenta arreciaba.

Pasó media hora y nada ocurría. Víctor tiritaba de frío y ansiedad sin apartar la vista de la criatura que continuaba inmóvil y empapada.

De pronto, un rayo cayó sobre el cuerpo de la criatura, sacudiéndolo con violencia. Víctor cerró los ojos, deslumbrado por el resplandor, y cuando los abrió de nuevo se encontró con una sorpresa.

Los dedos del monstruo se movían, así como sus brazos y piernas. Súbitamente, se sentó sobre la mesa y miró a su alrededor mientras la lluvia continuaba cayendo sobre él. Sus ojos opacos y amarillentos se fijaron en Víctor y entonces una mueca, que pretendía ser una sonrisa, se dibujó en sus labios delgados y extendió los brazos hacia su creador, mientras emitía unos sonidos raros.

Tal susto se llevó Víctor que se marchó corriendo de ahí.

Enrique acude en ayuda de Víctor

No paró de correr entre la oscuridad, hasta llegar a la universidad. Quería ver a sus profesores para contarles lo que había hecho. Sus sentimientos oscilaban entre el orgullo por haber conseguido sus propósitos y el miedo que le inspiraba el monstruo que había creado.

Cuando estaba a punto de entrar, a la universidad, tropezó en el patio con una persona que andaba por ahí. Avergonzado por su impetuosidad, se disculpó y cuál sería su sorpresa al descubrir que el hombre con el que había chocado era nada menos que su amigo Enrique.

Los dos amigos se abrazaron cariñosamente. Víctor le preguntó a Enrique por su familia, y en especial, por Isabel.

—Están bien, muy bien —repetía Enrique, como respuesta a cada pregunta—. Somos nosotros los que temíamos por ti, pues no respondiste a ninguna de nuestras cartas. ¡Hemos pasado seis años sin saber de ti! Tu padre me pidió que viniera, es por eso que estoy aquí.

—¡Ah, mi buen amigo! —exclamó Víctor— He sido un ingrato con las personas que me aman, pero es que mis estudios me han quitado tanto tiempo... De todos modos me alegra mucho verte.

Víctor no podía hablar con Enrique del monstruo al que le había dedicado gran parte de su vida. Tampoco podía llevarlo a su casa, por miedo de que lo viera. Entonces optó por invitarlo a cenar y pasar la noche en una posada. Mañana sería otro día. Después se ocuparía de su creación. Por el momento deseaba gozar de la compañía de su buen amigo y recordar los buenos tiempos pasados con él.

Al otro día, Víctor amaneció enfermo. Tenía mucha fiebre y deliraba, llamando a su padre y a Isabel. Enrique se asustó mucho al verlo en ese estado y decidió llevarlo con su familia para que descansara. Esperó a que recuperara un poco las fuerzas y luego, sin permitir réplica alguna, se lo llevó a Suiza.

Un acontecimiento desgraciado

Después de algunos días de viaje llegaron a la casa del padre de Víctor, donde se encontraron con una pésima noticia. Isabel fue quien les informó, bañada en llanto, que su hermano Guillermo acababa de ser encontrado sin vida en un campo cerca de la casa.

—¡Lo han matado! —sollozaba Isabel— Pero eso no es lo peor. La autoridad ha hecho prisionera a Justina porque la culpan de su asesinato, pues encontraron en uno de los bolsillos de su vestido la cadena que Guillermo llevaba siempre colgada del cuello, lo que tomaron como prueba contundente en su contra.

—¡Eso es imposible! —gritó Víctor— ¡Era nuestro hermano!

Víctor, su padre, Isabel y Enrique sabían que Justina era inocente, pero las autoridades de Suiza no. Y como en aquellos tiempos se acostumbraba ejecutar a los asesinos, pocas semanas después la pobre muchacha fue condenada a muerte.

Víctor se quedó en Suiza con su familia todo ese tiempo, pero después regresó a Inglaterra. Se había olvidado del monstruo que había creado y de que lo había dejado solo en su propia casa.

Durante el viaje de regreso, Víctor tuvo la impresión de que le seguían los pasos. Sentía cerca de él la presencia de alguien, pero por más que miraba a su alrededor no veía a nadie.

Primer encuentro con el monstruo

Apenas llegó a su casa, el monstruo entró tras él, con lo que Víctor se llevó un susto mayúsculo, sobre todo al darse cuenta de que éste podía hablar. El segundo susto vino cuando la bestia le confesó que había matado a Guillermo.

—¡Te he seguido desde que me creaste! —siguió diciendo el monstruo— Escuché tu conversación con Enrique, cuando se encontraron en el patio de la universidad. Por eso supe dónde y con quién vivías antes de venir aquí; y viajé a Inglaterra. Como soy muy grande y tengo mucha fuerza en las piernas llegué antes que tú y maté a tu hermano.

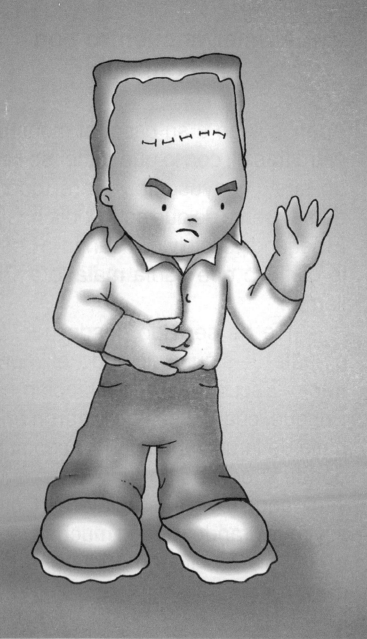

Víctor escuchaba horrorizado a la bestia. Ésta continuó explicando:

—Cuando llegué a la casa de tu padre vi salir a tu hermano y lo seguí. Cuando se metió en un callejón solitario lo atrapé y lo estrangulé. Después, le quité del cuello la cadena que llevaba y volví a la casa de tu padre. Ahí encontré a Justina, a quien también planeaba matar, pero cuando la vi dormida en su cama pensé que te haría sufrir más si la culpaban del asesinato de su propio hermano.

—¡Asesino! —gritó Víctor, yéndosele encima al monstruo— ¿Por qué me odias si yo no te he causado ningún mal?

La risa de la bestia sonó escalofriante:

—¿Qué no me has hecho mal?— preguntó el monstruo, quitándose de encima a Víctor, con la misma facilidad que cualquiera se sacude una mota de polvo— ¿Te parece poco haberme hecho tan horrible, que ninguna persona se me acerca? ¡Todos me huyen! ¡Por ti estoy solo! Nunca pedí ser creado así, pero ya que te empeñaste en hacerlo tienes una deuda conmigo.

—¿Qué quieres de mí? —preguntó Víctor, temblando de ira y dolor.

—Quiero que me hagas una compañera, parecida a mí, para que me ame. Si aceptas, me iré muy lejos con ella y no volverás a saber nada de mí nunca más.

—¡Estás loco! —se burló Víctor— ¿Crees que voy a repetir mi error al hacer otro monstruo como tú para que asesine personas inocentes? ¡Jamás!

—¡Yo no era malo! —se defendió la bestia— Me volví así porque la gente me odia, se aparta de mí, trata de matarme y todo ha sido por tu culpa, porque me hiciste feo. Si no creas una compañera semejante a mí, juro que continuaré vengándome de ti.

Víctor estaba tan confundido que no sabía qué hacer.

El dilema de Víctor

Víctor Frankenstein debía tomar una decisión difícil. Si creaba una compañera para el monstruo, lo más seguro es que resultara malvada y se uniera con su compañero para continuar haciéndole daño a la gente. Pero si se negaba, el monstruo mataría a su padre y a Isabel. La única solución era destruir al engendro. Rápidamente, tomó un cuchillo y se lanzó contra él, pero como la bestia era muy grande y fuerte, desarmó a Víctor y lo mandó al suelo de un golpe.

—No intentes destruirme —dijo el monstruo—. No podrás. Mejor obedéceme y te librarás de mí para siempre.

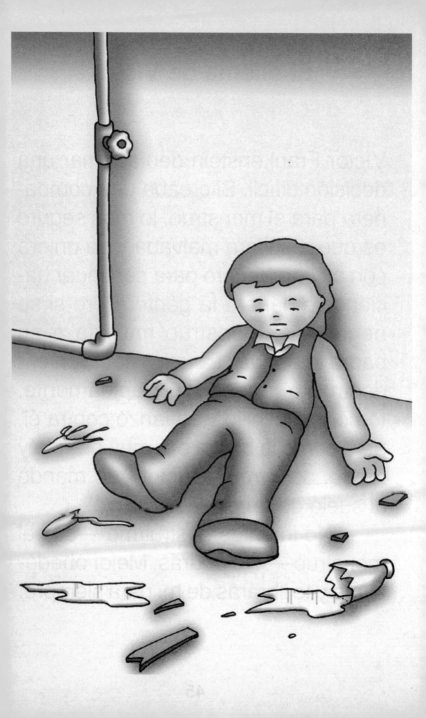

—¿Y si tu compañera resulta ser una asesina? ¿Y si tienen hijos igualmente asesinos? —preguntó Víctor.

—Prometí respetar a tu raza si me haces una compañera y lo cumpliré. Mi único deseo es no estar solo en este mundo.

Víctor miró sus instrumentos de trabajo, el laboratorio donde había creado al monstruo, y sintió rabia consigo mismo. Comenzó a lanzar objetos que se rompían al tocar el suelo. Acabó con todo, deshizo su laboratorio y una vez más trató de matar al monstruo. Sin embargo, éste volvió a golpear a Víctor, tan fuerte que logró que se desmayara, y luego salió corriendo de ahí.

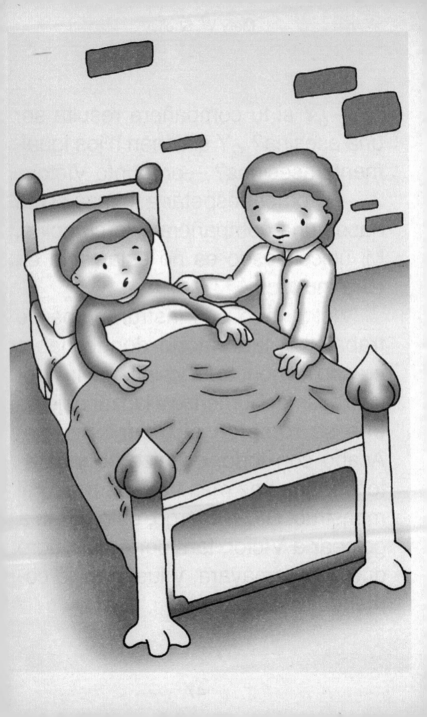

Nuevas desgracias

Cuando Víctor volvió en sí ya no estaba en su laboratorio sino en su cama; su amigo Enrique estaba inclinado junto a él, con la preocupación reflejada en su semblante.

—¿Qué te pasó? —le preguntó Enrique— Te encontré en el piso de tu bodega, en medio de vidrios rotos e inconsciente. Ahora me alegro de haberte seguido hasta aquí. Me preocupé cuando dejaste la casa de tu padre después de la ejecución de Justina. Pensé que no resistirías el dolor y decidí venir a consolarte. Entré, te busqué y al no encontrarte fui al sótano.

—Gracias por venir —dijo Víctor, ya recuperado—. Llévame contigo. Volvamos a Suiza. Necesito proteger a mi familia.

Enrique dejó solo a Víctor mientras volvía a la posada donde estaba hospedado para recoger su equipaje. Víctor no pudo acompañarlo porque aún le dolía la cabeza y estaba mareado.

Pasaron un par de horas. Enrique no regresaba y Víctor temió lo peor. Como pudo, se levantó de la cama y sujetándose de las paredes se dirigió a la posada a buscar a su mejor amigo.

La noche había caído. Víctor avanzaba sintiendo que la cabeza le daba vueltas, pero su deseo de abandonar Inglaterra en compañía de Enrique era más fuerte que su malestar.

Cuando estaba por llegar a la posada, encontró a un grupo de personas con antorchas en las manos alrededor de un hombre que yacía en el suelo. Arrastrando los pies, se acercó al grupo y abriéndose paso llegó hasta el cuerpo inmóvil que rodeaba aquella gente. Lanzó un grito de horror al reconocer el cadáver de su amigo Enrique y oyó los comentarios de los representantes de la autoridad sobre el estrangulamiento. Luego, se sintió más indispuesto que nunca y antes de perder el sentido de nuevo, alcanzó a pensar desconsolado:

—¡Guillermo, Justina y ahora tú, Enrique! ¡Cómo he traído desgracias a los que amo!

La boda con Isabel

Unas buenas personas ayudaron a Víctor Frankenstein a preparar su viaje de regreso a Suiza. Una vez ahí, Víctor se prometió proteger a su padre y a Isabel, con quien planeaba casarse lo antes posible, para después viajar con su familia al África para esconderse del monstruo.

Sin embargo, la bestia seguía detrás de él. Cierto día en que Frankenstein se encontraba a solas en su casa, el monstruo entró a verlo y lo amenazó de nuevo:

—¡No podrás librarte de mí! —sentenció— ¡Te prometo que estaré presente en tu noche de bodas!

Y sin decir nada más, desapareció. Víctor intentaba pensar en un plan para salvar a los suyos.

Después de un rato, habló con Isabel. Le pidió que se casaran en África y se quedaran a vivir ahí para siempre. Ella protestó:

—No estoy de acuerdo Víctor, porque nací en Suiza y mis amigos son de aquí.

Y Víctor, que deseaba complacer en todo a Isabel, pensó que podía protegerla del monstruo aunque tuviera que matarlo.

Pasó todo un mes efectuando los preparativos para la ceremonia, tiempo durante el cual Víctor estuvo relativamente tranquilo, ya que el monstruo no se le apareció. De todas maneras, sabía que aún no era tiempo de cantar victoria, pues la bestia le había dicho que lo visitaría en su noche de bodas.

Ese día, Isabel lucía muy hermosa vestida con su traje blanco y una corona sobre su cabeza. Al verla tan linda e inocente, Víctor se prometió de nuevo defenderla aunque ello le costara la vida.

Una hora después, Víctor y su esposa volvían a su casa para continuar la celebración de su boda. Su padre estaba feliz, creyendo que la mala racha de su familia había pasado.

Cuando la fiesta terminó y los invitados se retiraron, los recién casados se quedaron solos y fue cuando los temores de Víctor resurgieron en toda su intensidad. La noche había caído y toda la casa se encontraba sumida en el más absoluto silencio.

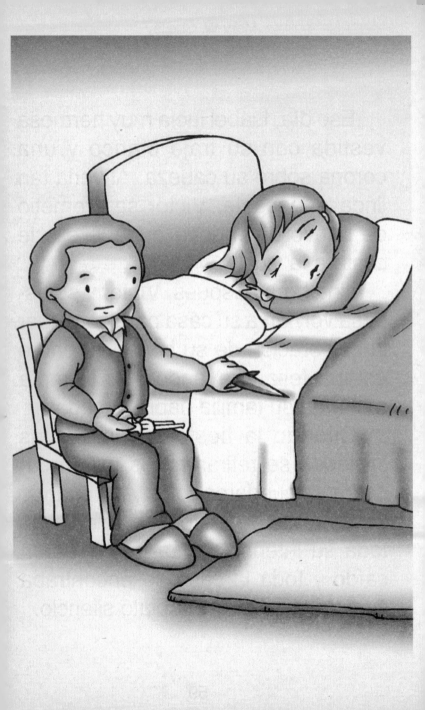

—Ve a tu alcoba a dormir —pidió Víctor a Isabel, tratando de que ella no percibiera el temblor de su voz—. Hay algunos asuntos que debo atender antes de reunirme contigo.

Frankenstein recorrió la casa, cerró todas las ventanas y le colocó el cerrojo a todas las puertas. Luego, se armó con una pistola y un cuchillo y se sentó en una silla junto a la cama de su esposa, quien dormía plácidamente, totalmente ajena al peligro que corría.

Víctor intentaba mantener los ojos abiertos, pero el cansancio se los cerraba. Finalmente, hacia las tres de la madrugada el sueño lo venció. Se durmió inclinado sobre Isabel, con la mano de ella entre las suyas.

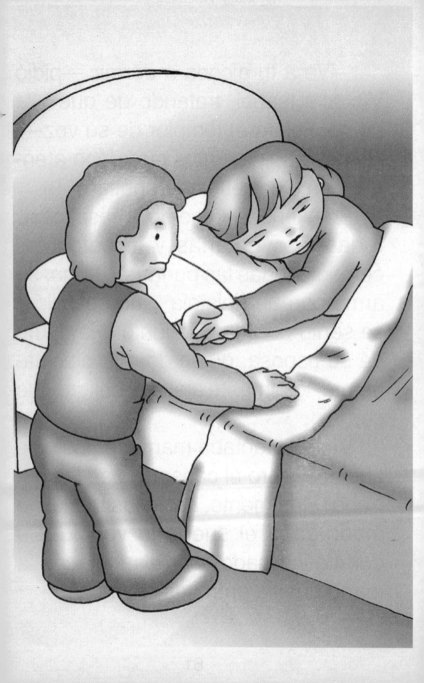

Frankenstein despertó a la mañana siguiente, cuando el sol estaba muy alto y lo primero que vio fue el rostro de Isabel, que parecía tan sereno como si durmiera. Sin embargo, la mano que aún sujetaba Víctor estaba tan helada como la nieve que cae en invierno. Él le dio unas palmadas suaves para despertarla, pero fue inútil. Se acercó un poco más a ella y vio en el cuello de su amada las inconfundibles señales de estrangulamiento. La bestia había matado a Isabel.

La decisión del monstruo

Víctor Frankenstein creía vivir una pesadilla. Corrió por toda la casa, lanzando gritos de dolor y maldiciendo a la bestia. Su padre lo encontró desmayado en uno de los pasillos y llamó al médico. Éste no tenía buenas noticias. El joven había enloquecido y era preciso internarlo en un hospital para enfermos mentales.

El padre de Víctor no entendía por qué cayó la desgracia sobre su familia y lloraba sin cesar; mientras tanto las autoridades creyeron que, en su locura, Frankenstein había asesinado a su propia esposa, pero después se convencieron de lo contrario al constatar que las huellas en el cuello de Isabel eran demasiado grandes comparadas con las manos de Víctor.

De todas maneras, fue inevitable que el joven terminara en un hospital para locos, en una habitación aislada y con una camisa de fuerza.

Estuvo ahí durante tres meses, después de los cuales recuperó algo de cordura y le permitieron volver a su casa, ya vacía, pues su padre decidió viajar en un intento por olvidar tantos sucesos desagradables. Víctor tampoco deseaba permanecer ahí, entre tantos recuerdos dolorosos. Su vida ya no tenía sentido. Lo único que deseaba era vengarse del monstruo y lo conseguiría aunque en eso le fuera la vida.

Durante los tres meses siguientes, Víctor se dedicó a perseguir al monstruo, quien sabiendo que su creador andaba tras él, dejaba pistas para que Frankenstein se dirigiera en la dirección correcta. Parecía decirle: "Sé que quieres darme alcance, pero yo soy más listo que tú y nunca lograrás atraparme", pero Víctor no se daba por vencido.

La carrera de Víctor parecía no tener fin. No descansaba más que para comer un bocado y dormir dos o tres horas. Descuidó tanto su salud que enfermó gravemente. Por las noches deliraba de fiebre y durante el día estaba tan débil que apenas podía moverse. Finalmente, la debilidad lo venció y cayó desvanecido sobre la hierba.

A punto de morir, abrió los ojos y vio frente a él la cara del monstruo. Con las pocas fuerzas que le quedaban, le dijo:

—Mátame, ya nada me importa. Te has vengado asesinando seres inocentes, cuando debiste acabar sólo conmigo.

El monstruo miraba a su creador con la compasión retratada en su semblante. Ya no había odio en sus ojos, sino una tristeza infinita. Entonces contestó:

—No te maté porque deseaba que sufrieras viendo desaparecer a todos tus seres queridos. Mi objetivo era que te sintieras tan solo como yo; pero ahora que he consumado mi venganza, me siento tan triste que quisiera morirme.

Y para sorpresa de Víctor, la bestia cayó arrodillada junto a él.

—¡Perdóname!— le dijo, mientras gruesas lágrimas corrían sobre su rostro deforme— Te amo como a un padre, como a mi creador; te quise desde que te vi por primera vez, pero me dolió tanto que te horrorizaras con mi aspecto y que por la misma razón me rechazaran todos los seres humanos, que me propuse que sufrieras tanto como yo. Por eso maté a Guillermo y permití que culparan a Justina del crimen, pero luego pensé en darte la oportunidad de ser feliz con Isabel, siempre y cuando me concedieras una compañera. Te negaste y encendiste de nuevo mi furia, de la que ahora me arrepiento y te pido perdón.

Víctor aceptó su parte de culpa. Creó vida a partir de materia inerte, desafiando las leyes de la naturaleza, y tenía que pagar por su soberbia. Extendió la mano hacia el monstruo y alcanzó a decir: "te perdono", justo antes de morir.

La bestia dio sepultura a Frankenstein y luego partió. Se fue lejos, muy lejos, adonde ninguna persona pudiera ver su espantoso aspecto, acentuado por la maldad de los actos que cometió, impulsado por el rencor.

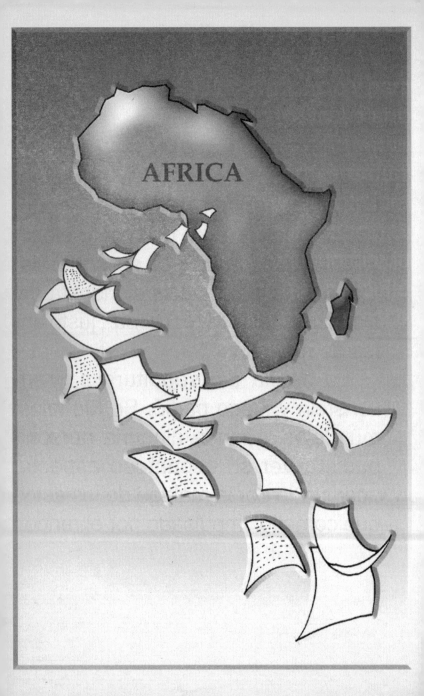

Meses después, lo encontraron unos exploradores en África. Estaba muerto, boca abajo sobre el suelo y tan delgado que la piel se le pegaba a los huesos. Se cree que falleció de hambre. En uno de los bolsillos de su traje, estaba una carta escrita por él, donde narra su historia y previene a todos los seres humanos sobre las desgracias que atrae el odio.

Esta edición se imprimió en Agosto 2012 Impre Imagen
José María Morelos y Pavón Mz 5 Lt 1 Ecatepec Edo de México.

SU OPINIÓN CUENTA

Nombre ....

Dirección ....

Calle y número ....

Teléfono ....

Correo electrónico ....

Colonia .... **Delegación** ....

C.P .... **Ciudad/Municipio** ....

Estado .... **País** ....

Ocupación .... **Edad** ....

Lugar de compra ....

Temas de interés:

☐ *Negocios*   ☐ *Familia*   ☐ *Ciencia para niños*
☐ *Superación personal* ☐ *Psicología infantil*   ☐ *Didáctica*
☐ *Motivación*   ☐ *Pareja*   ☐ *Juegos y acertijos*
☐ *New Age*   ☐ *Cocina*   ☐ *Manualidades*
☐ *Esoterismo*   ☐ *Literatura infantil*   ☐ *Humorismo*
☐ *Salud*   ☐ *Literatura juvenil*   ☐ *Interés general*
☐ *Belleza*   ☐ *Cuento*   ☐ *Otros*
                        ☐ *Novela*

¿Cómo se enteró de la existencia del libro?

☐ *Punto de venta*
☐ *Recomendación*
☐ *Periódico*
☐ *Revista*
☐ *Radio*
☐ *Televisión*

Otros ....

Sugerencias ....

Frankenstein

RESPUESTAS A PROMOCIONES CULTURALES
(ADMINISTRACIÓN)
SOLAMENTE SERVICIO NACIONAL

CORRESPONDENCIA
RP09-0323
AUTORIZADO POR SEPOMEX

EL PORTE SERÁ PAGADO:

Selector S.A. de C.V.
Administración de correos No. 7
Código Postal 06720, México D.F.